fruits basket

NATSUKI TAKAYA

Fruits Basket

Índice:

Fruits Basket
PRESENTACIÓN DE PERSONAJES

TOORU HONDA. NUESTRA PROTAGONISTA. UNA CHICA POSITIVA Y LLENA DE ENERGÍA, AUNQUE A VECES PARECE QUE VIVA EN SU PROPIO MUNDO. SU ANIMAL FAVORITO DE LOS DOCE DEL ZODÍACO ES EL GATO.

SHIGURE SOMA (PERRO). DUEÑO DE LA CASA EN LA QUE VIVEN TOORU, YUKI Y KYO. ES EL RESPONSABLE DE LOS TRES.

KYO SOMA (GATO). UN CHICO OBSESIONADO CON DERROTAR A YUKI PARA ASÍ PODER FORMAR PARTE DEL CÍRCULO DE LOS DOCE DEL ZODÍACO.

YUKI SOMA (RATÓN). COMPAÑERO DE CLASE DE TOORU Y "PRÍNCIPE" DEL INSTITUTO. AFICIONES: CULTIVAR VERDURAS.

RESUMEN DE LO SUCEDIDO

¡HOLA A TODOS! ME LLAMO TOORU HONDA Y ESTOY VIVIENDO CON LOS SOMA, UNA FAMILIA QUE ME ACOGIÓ EN SU CASA DESPUÉS DE QUE ESTUVIERA VIVIENDO SOLA EN UNA TIENDA DE CAMPAÑA... LOS SOMA ESTÁN POSEÍDOS POR LOS ESPÍRITUS DE LOS DOCE ANIMALES DEL ZODÍACO CHINO TAL COMO APARECEN EN UNA ANTIGUA LEYENDA, PERO SON PERSONAS MUY INTERESANTES Y AMABLES, AUNQUE TODOS TIENEN UNA PERSONALIDAD MUY MARCADA Y NO DEJAN DE SORPRENDERME. AHORA MISMO ESTAMOS EN PLENAS VACACIONES DE VERANO, UNA ÉPOCA LLENA DE DÍAS INCIERTOS EN LOS QUE PRESIENTO QUE OCURRIRÁN MUCHAS COSAS NUEVAS. POR SI FUERA POCO, MOMIJI NOS HA INVITADO A TODOS A PASAR UNOS DÍAS EN LA CASA DE LA PLAYA DE LA FAMILIA. ¡PLAYA! ¡MONTAÑA! ¡CAZA DE BICHOS!

fruits basket

Capítulo 54

DIBUJO A MEDIAS
PARA APROVECHAR
EL ESPACIO.

HASTA EL ÚLTIMO MOMENTO ESTUVE DUDANDO ENTRE HACERLA
LLEVAR BAÑADOR O BIKINI... (¿CUÁL OS GUSTA MÁS?)

Tonterías varias 1

Unos fans me mandaron ese mismo set de papel de cartas en forma de conejito. Está hecho a mano, por supuesto. Me ha parecido muy mono, es algo que yo me compraría, aunque me ha dado un poco de vergüenza recibirlo (risas). También me dio mucha vergüenza cuando recibí aquella bufanda tejida a mano... Recuerdo lo emocionada que estaba, cómo me latía el corazón (¿ah, sí?). Muchas gracias, lo cuidaré mucho.

ESTABA CONVENCIDO DE QUE SÍ LO HARÍA.

UNA VEZ MÁS, EL AGRADECIMIENTO ME DESBORDA.

NO PUEDO DEJAR DE SENTIRME AGRADECIDA POR TODO.

HA DICHO QUE VENDRÁ CUANDO SOLUCIONE ALGO DEL TRABAJO.

SED BUENOS ALNQUE YO NO ESTÉ.

¿POR QUÉ ESTABAS CONVENCIDO?

PORQUE VIENE TOORU EN BAÑADOR,

Y SEGURO QUE QUERÍA VER LO QUE LA ROPA ESCONDE.

HUM

AL FINAL EL GRAN AUTOR NO HA VENIDO.

¿¡TIENES QUE DECIRLO DE ESA MANERA!?

10

Cesta de frutas

Cesta de frutas

¡Hola y encantada!
Soy Natsuki Takaya.
FURUBA ha llegado al
tomo 10. Uaaahh....
Diez tomos...
Aplausos, aplausos.
El personaje-tema de
este tomo es Kisa,
que últimamente está
cada vez más animada.
No se debe a que sus
circunstancias hayan
cambiado sino a que
ha encontrado a
gente que la apoya
y la comprende. Por
eso ahora se siente
capaz de seguir
adelante sin rendirse.
Bueno, este tomo
10 podría titularse
"vacaciones en la playa".
Espero que lo
disfrutéis.

AL FINAL KYO HA ACABADO EN EL AGUA.

¡QUÉ DIVER, TOORU!

¿QUIERES PROBAR TÚ, MOMIJI?

POR ALGÚN MOTIVO, ESTOS DOS SE QUEDAN MIRANDO.

SHAAAF

...

NO TE EQUIVO-QUES ...

NO ES NADA.

TENÍA LA CABEZA EN OTRA PARTE.

NO QUIERO PREOCUPAR A TOORU

POR UNA TONTERÍA ASÍ.

ES UNA MALA COSTUMBRE.

¿EH...?

¿YA SALES?

TAMPOCO TENÍA INTENCIÓN DE ENTRAR.

GRACIAS.

ES UNA SABIA DECISIÓN.

CHAS

SPLAT

SPLAT

¡HE MANDADO UNA CARTA A HARI, A AAYA, A RICHI, A KISA, A HIRO Y A KAGURA! ¡LES HE INVITADO A TODOS!

AH... ESTO... ÉSTE ES UN SITIO PRECIOSO, ¿VERDAD?

OJALÁ ESTUVIERAN TODOS AQUÍ.

AH... ASÍ ESTAREMOS CASI TODOS Y... ¿MI HERMANO TAMBIÉN?

¡AH!

¡NO OS PREOCUPÉIS POR ESO!

ESO ES FANTÁSTICO.

OJALÁ PUEDAN VENIR TODOS.

¡YUKI!

¡ME EN-CANTARÍA!

SI TÚ TE APUNTAS, SEGURO QUE KYO SE ANIMA...

¿COMPITES CON NOSOTROS?

...

SPLAT
SPLAT

BUENO, PODRÍA PARTICIPAR.

¿¡PORQUE ÉL COMPITA!? ¡¡TÚ SUEÑAS, CHAVAL!! ¡¡YO NO SOY TAN SIMPLE!!

SHUOSH

MUY BUENA, YUKI.

EN FIN...

¡¡VENCERÉ!! ¡¡LE HARÉ MORDER EL POLVO!!

¡¡ESTA VEZ SÍ QUE NO PIENSO PERDER!!

SHUUOSH

SHUOOSH

CON LO FÁCIL QUE SERÍA NADAR TRANQUILAMENTE.

SON COMO CRÍOS.

TE... TENED MUCHO CUIDADO, POR FAVOR.

AH... ESTO...

¿POR QUÉ TIENEN QUE IRSE TODOS DE VACACIONES? MENUDA ESTUPIDEZ.

¿ES QUE LOS ESTUDIANTES DE INSTITUTO NO TIENEN NINGUNA RESPONSABILIDAD?

Y ENCIMA NOS MANDA ESTE PAPEL DE CONEJITOS, ¿CREE QUE SOMOS NIÑOS O QUÉ?

FRANCAMENTE, ME PREOCUPA MÁS QUE LO QUE ME FASTIDIA, Y ESO ES DECIR MUCHO.

PUES VAMOS.

VA... ¡VALE!

¿CÓMO SE PUEDE IR TAN FELIZ POR LA VIDA?

HIRO...

YO QUIERO IR.

...

CRUSH

VOY... VOY A PREGUNTARLE A MAMÁ.

ENSEGUIDA VUELVO.

TIPI TIPI

ESA ATONTADA DE TOORU... VA A ROBARME MI TIEMPO A SOLAS CON KISA.

YU... YUKI...

POR ENCIMA DE MI CADÁVER.

HAS PILLADO UNA INSOLACIÓN... YA SABÍA YO QUE EL SOL PEGABA DEMASIADO FUERTE.

A PARTIR DE MAÑANA TENDRÁS QUE USAR UNA SOMBRILLITA.

¡SE ACABÓ! ¡ME VOY A DORMIR! ¡¡QUE A NADIE SE LE OCURRA DESPERTARME!!

KYO SE HA ENCERRADO EN SU CUARTO, DEL DISGUSTO.

CREO QUE TANTA AGUA HA TERMINADO POR AGO-TARLE.

SNIFF SNIFF

MIENTRAS YO JUGABA EN EL AGUA TAN TRANQUILA, SIN PREOCUPARME POR NADA, TÚ... TÚ...

SNIFF SNIFF

SÓLO SON UNAS DÉCIMAS DE FIEBRE, NO TE PREOCUPES.

CON-SEGUISTE LLEGAR EL PRIMERO.

¡LA CARRERA FUE UNA PASADA, YUKI!

POR SI TE SENTÍAS SOLO SIN MÍ.

¿PUEDO IR A DARME UNA DUCHA, YUKI?

?

CLARO QUE PUEDES. ¿POR QUÉ ME PIDES PERMISO PARA ESO?

...

¡¡VETE DE UNA VEZ!!

VALE...

¡POR SUPUES- TO! PUEDES CONFIAR EN NOSOTROS.

¡VE TRANQUILO, NOSOTROS NOS QUEDAMOS CON ÉL!

¡MAÑANA IREMOS A EXPLORAR EL BOSQUE!

¿'AL FINAL'?

LO SIENTO... AL FINAL HE ACABADO PREOCU- PÁNDOTE.

¿TAMBIÉN VAIS A IR A LA PLAYA?

NO TE PREOCUPES POR ESO... ESPERO QUE MAÑANA NO HAGA TANTO CALOR.

SEGURO QUE SE ME PASA ENSEGUIDA.

¿ABRIR
...

ABRIR
UNA PUERTA
QUE LLEVA
DEMASIADO
TIEMPO
CERRADA.

...

TODAVÍA NO
ENTIENDO

QUÉ
INTENTABA
DECIRME.

...UNA
PUERTA?

PERO NOTO
QUE ALGO HA
EMPEZADO A
MOVERSE EN
EL CORAZÓN
DE YUKI.

...

¡¡UAAAAAAAH!! ¿¡QUÉ!?

¡¡TOORU!!

UY...

NO... ES QUE ESTABA PERDIDA EN MIS PENSAMIENTOS. ESTOY BIEN.

NO... NO PASA NADA... ESTOY BIEN... LO SIENTO.

¿QUÉ TE PASA? ¿TANTO TE HE ASUSTADO?

PERDONA.

EL CALOR DEL VERANO...

PERDÓNAME TÚ TAMBIÉN, YUKI.

NO QUERÍA GRITAR ASÍ.

¿HA PASADO ALGO MALO?

Tonterías varias 2

Me encanta dibujar a niños pequeños,
lo malo es que Kisa y Hiro van a tener que empezar
a hacerse mayores dentro de poco. Aunque me hace
ilusión ver cómo resultarán de más mayores.

Bueno, veamos...

Aunque hemos llegado ya al tomo 10 de FURUBA todavía me faltan personajes por presentar. Cada vez que aparece uno nuevo todos se hacen las preguntas: ¿Ya está?, ¿éste es el último?. Cuando lo pienso bien, resulta que si los tengo a todos en cuenta, me sale un número increíble de personajes. Así que he pensado en aprovechar estos espacios para iros contando algunos detalles de sus historias. Vamos a ver si esto os ayuda a entender mejor a los secundarios que sirven de apoyo para la historia principal. Desvelemos los enigmas de FRUITS BASKET. ¡Adelante!

¡¡ESTOY AGOTADO DE NO-SÉ-CUÁNTAS HORAS DE VIAJE HASTA AQUÍ!! ¡¡LLEVADME A MI CUARTO!!

¡¡CALLAOS LOS DOS!!

¡SOLO Y OLVIDADO! ¡SOLO Y OLVIDADO!

ESTÁS SOLO Y OLVIDADO...

¿EH?

¿Y ESO POR QUÉ?

PERO LOS DE LOS DEMÁS ESTÁN EN LA OTRA.

HEM...

MI CUARTO ESTÁ EN ESTA ALA DE LA CASA.

TIPI TIPI

TÚ COMPARTIRÁS HABITACIÓN CON UNO DE NOSOTROS, HIRO.

KISA DORMIRÁ CON TOORU.

EN OTRAS PALABRAS, QUE SÓLO TE INTERESA COMPARTIRLO CON KISA, MIRA QUÉ ESPABILADO...

¿POR QUÉ NO DEJÁIS DE DECIDIR LAS COSAS POR MÍ?

ME NIEGO ROTUNDA-MENTE A COMPARTIR CUARTO CON NADIE.

YO NO HE DICHO NADA DE ESO.

ADEMÁS, ¿POR QUÉ TENGO QUE SER YO?

¿¡ES QUE PORQUE SEÁIS TODOS MAYORES YO TENGO QUE PLEGARME A VUESTROS CAPRICHOS!?

HIRO...

BU...

BUENO, ES QUE...

VAYA, SI ESTÁIS AQUÍ.

¡¡TÚ CALLA, ATONTADA!!

QUÉ PRONTO HABÉIS LLEGADO.

¡SÍ!

40

¿POR QUÉ NO INTENTAS CAMBIAR ESO?

TAP TAP

...

ESTOS JÓVENES ...

SE TE OLVIDA QUE TÚ TAMBIÉN LO ERES, HARU.

HABLAS COMO UN VIEJO.

...

TODO ESO YA LO SÉ.

LO SÉ DE SOBRA, PERO NO PUEDO AGUANTARME.

CADA VEZ QUE LAS VEO TAN UNIDAS ...

ESTO NO TIENE NADA QUE VER CONTIGO, HARU.

¿TIENES SED? ¿TE APETECE ALGO?

...ME MUERO DE RABIA.

TE DEJO LA BOLSA AQUÍ.

ESTARÁS CANSADA DEL VIAJE.

...

AH... NO... NO ES ESO...

UAH UAH UAH UAH

...

LO... LO SIEN...

ESTO...

LO DE HIRO DE ANTES...

¿ITE ENCUENTRAS MAL!? ¿QUIE-RES QUE TE TRAIGA ALGUNA MEDICINA!?

?

¿A A A H!?

¿SÍ?

¿QUÉ PASA CON ESO?

PERO NO HAY ESCARABAJOS.

¿SI QUIEREN ESCARABAJ POR QUÉ LOS COMPR EN LA PAJ RERÍA PUNTO?

¡AHÍ ESTÁ LOS ROBL

TENEMOS QUE PONER UN PREPARADO ESPECIAL EN ESTE ÁRBOL PARA ATRAERLOS

ESE PREPARA- DO ESPECIAL SE LLAMA ...

...¡¡AGUA CON AZÚCAR!!

JE...

¿NO ES ÉSA LA AGENDA DE LA OTRA VEZ?

¿EH?

FLIP

?

ES QUE...

...

¿Y AHORA QUÉ LE PASA?

¡MOMIJI!

HIRO...

¿EH?

JE, JE, JE...

TAP

ME PREOCUPA MOMIJI, VOY A VER LO QUE HACE.

ESPERAD UN MO- MENTITO AQUÍ.

OYE...

VINE POR-
QUE PENSÉ
QUE KISA SE
ALEGRARÍA.

Y EN
CAMBIO LA
HE HECHO
LLORAR...
PAREZCO
IDIOTA.

¿POR QUÉ
SIEMPRE
ACABO
IGUAL?

¿KISA?
¿HA PASADO
ALGO?

SOY LO
PEOR. NO
TENGO RE-
MEDIO. SOY
UN MALDITO
CRÍO. NADA
MÁS QUE
UN CRÍO.

NO HE
MADURA-
DO NADA,
EN CUANTO
HAY ALGO
QUE NO ME
GUSTA
...

NADA
...

UUUU

UH

...TEN-
GO QUE
CARGAR
CONTRA
ALGUIEN.

HABITAN MUY
EN EL FONDO
DEL ALMA,

ALBERGA
SENTIMIENTOS
OCULTOS

SI NO
NO LO
SABES

NO
DEBERÍAS
JUZGAR
ASÍ A LOS
DEMÁS.

DONDE
NADIE PUEDE
TOCARLOS.

EN-
VUEL-
TOS
CON
CUIDA-
DO.

AUNQUE
AHORA ME
ARREPIENTA,
EL DAÑO
YA ESTÁ
HECHO.

TIENE
RAZÓN.

TOORU
TAMBIÉN DEBE
DE TENER SUS
SECRETOS.

EL FONDO DE
MI CORAZÓN

...

54

¿KISA Y HIRO SE HAN PELEADO?

NO SE HAN HABLADO EN TODA LA CENA Y YA SE HAN IDO A DORMIR.

NO SÉ MUY BIEN QUÉ HA PASADO.

HUM
...

...

LO MEJOR SERÁ DEJAR QUE SE ARREGLEN SOLOS.

ES INÚTIL INTENTAR INTERVENIR EN PELEAS DE ENAMORADOS.

AH... BUE- NO ...

ERES BUENA PERSONA, PERO MUY FRÍO, ¿SABES?

"¿POR QUÉ?"

Capítulo 56

SI HUBIERA ALGÚN HE-CHIZO QUE OS DEVOLVIERA LA FELICIDAD A LOS DOS

YO, IRÍA A BUSCARLO

SIN PENSARLO DOS VECES.

MAYU, CREO QUE DEBERÍAS OCUPARTE DE ESTA LIBRERÍA.

LIBRERÍA SHIRAKI

Tonterías varias 3

Creo que todos sabéis ya quién es Mayu (¿o no?).
Es la tutora de Tooru y los demás, aunque aún no he
decidido qué asignatura es la que enseña. Aunque tiene
pinta de dar clases de literatura o japonés clásico.

SI TANTO TE GUSTA, PUEDES SENTARTE AQUÍ EN MI LUGAR.

MÁS QUE LA ENSEÑANZA, CREO QUE TE SIENTA MEJOR VIVIR RODEADA DE LIBROS.

SOBRE TODO DE LIBROS ANTIGUOS. NO ME DIGAS QUE NO ES MUCHO MÁS ATRACTIVO.

CUÁNTA DESIDIA...

MAYU...

POR CIERTO, ¿CÓMO ES QUE HOY ESTÁS A CARGO DE LA LIBRERÍA?

¿TE DEJAN TRABAJAR EN ESTO EN EL INSTITUTO?

A MI PADRE LE HAN INGRESADO PORQUE SE LE HA COMPLICADO UN RESFRIADO Y MI MADRE ESTÁ CON ÉL

NO ES "TRABAJO", ES UN ASUNTO PRIVADO.

ASÍ QUE

SE LAS HAN APAÑADO PARA ENREDAR A SU ÚNICA HIJA PARA QUE SE OCUPE DE LA LIBRERÍA.

COMO CLIENTE HABITUAL, A MÍ ME FASTIDIARÍA.

AHORA MISMO MANTIENEN ESTE LOCAL CASI COMO PASATIEMPO, PODRÍAN HABERLO CERRADO PERFECTAMENTE MIENTRAS ESTÁ INGRESADO.

ESTO DEBE DE SER LO QUE LA GENTE LLAMA "TRAMPA DEL DESTINO".

NO ENTIENDO CÓMO LO HAGO, PERO NO LOGRO LIBRARME DE ÉL.

HASTA EN MI TRABAJO EN EL INSTITUTO HE ACABADO COMO TUTORA DE ALGUNOS SOMA.

DESDE AQUEL DÍA...

QUÉ PATÉTICO... MI EX ES CLIENTE HABITUAL DE ESTA LIBRERÍA.

ADEMÁS, TE DIJE QUE ESE LIBRO QUE PEDISTE NO LLEGARÁ HASTA MAÑANA.

PUES PRECISAMENTE PORQUE NOS SEPARAMOS, ESTOS ENCUENTROS QUE NADIE SOSPECHA TIENEN UNA CIERTA CHISPA, ¿NO CREES?

ENTRE NOSOTROS NO HAY MÁS CHISPA QUE LA DE TUS CIGARRILLOS.

POR FAVOR...

Mogeta y el normalmente llamado Ari.

¡¡Es Mogeta!! ¡¡Por fin le toca a Mogeta!! (Lo digo con pasión) ¿A partir de qué tomo empezó a aparecer? ¿Fue en el cuarto? Ah, no... En el tercero. Acabo de comprobarlo. Me suena haberlo mencionado antes, pero es un personaje que se me ocurrió por que sí y decidí dibujarlo. En realidad, Mogeta es una chica (?) Ari no es más que su protector... En fin... La historia no se aguanta por ningún lado.

QUE FUE HACE MUCHO MÁS CUANDO LE CONOCÍ.

...HACE YA MÁS DE DOS AÑOS.

OS PRE-SENTARÉ.

...

¿DOS AÑOS...?

ÉSTA ES MAYUKO SHIRAKI.

YA TE HE HABLADO DE ELLA, ERA MI ME-JOR AMIGA EN LA UNI-VERSIDAD.

PARECE

MAYU...

ÉSTE ES HATORI SOMA.

TRABAJO COMO SU AYUDANTE.

Y A PESAR

DE SABER ESO,

ME EN-CONTRÉ A MÍ MISMA

NINGUNO DE LOS DOS ME DIJO NADA EN ESE MOMENTO.

PENSANDO COMO UNA TONTA

LO MUCHO QUE ME GUSTABA.

PERO ME DI CUENTA ENSEGUIDA DE QUE ERAN PAREJA.

ME SENTÍA COMO LA PEOR PERSONA DEL MUNDO.

LAMENTO LA MOLESTIA... KANA INSISTIÓ.

NO ES MOLESTIA.

LA EXPRESIÓN "AMOR A PRIMERA VISTA" PARECE MUY BONITA.

AH, MAYU...

¿TE IMPORTA ENSEÑARLE TU LIBRERÍA A HATORI?

LE GUSTAN MUCHO LOS LIBROS VIEJOS.

EL PROBLEMA VIENE CUANDO SE TRATA DEL NOVIO DE TU MEJOR AMIGA.

AUNQUE... NO PENSÉ QUE VENDRÍA ÉL SOLO.

GRACIAS, MAYU.

NO HACE FALTA QUE ME ACOMPAÑES, PUEDO ELEGIR YO SOLO.

CADA VEZ QUE KANA ME SONREÍA, INOCENTE Y SIN SOSPECHAR NADA,

ASÍ ES...

...

EN CIERTA MANERA, LA ADMIRO.

KANA RÍE CUANDO ES FELIZ Y LLORA CUANDO ESTÁ TRISTE.

ES COMPLETAMENTE SINCERA, SIN DOBLECES.

OJALÁ YO TAMBIÉN

ENTIENDO LO QUE DICES.

PUDIERA SER COMO ELLA.

¿A MÍ ME LO PREGUNTAS?

¿CÓMO QUIERES QUE LO SEPA?

¿SE SUPONE QUE ESOS DOS SON MIS AMIGOS?

CREO QUE KANA ME LO COMENTÓ... SHIGURE Y AYAME, ¿NO?

ME GUSTABA...

TÚ TAMBIÉN TIENES AMIGOS ÍNTIMOS,

¿VERDAD, HATORI?

...CUANDO SONREÍA COMPLETAMENTE RELAJADO.

SU MERA EXISTENCIA

SU VOZ, SU MIRADA,

SU SILUETA,

ME ATRAÍA.

AUNQUE SABÍA QUE ERA ALGO IMPOSIBLE.

POR INALCANZABLE QUE FUERA...

PARA SIEMPRE...

A PESAR DE TODO...

EN LUGAR DE ESO... ACABÉ CONOCIENDO A SHIGURE Y A AAYA.

...OJALÁ HUBIERA PODIDO OLVIDARLE.

Y DESCUBRIENDO MÁS FACETAS DE HATORI.

SÍ, ES VERDAD.

KANA DIJO QUE ESTARÍA BIEN QUE VOLVIÉSEMOS A SALIR TODOS JUNTOS UN DÍA.

SOY UNA COMPLETA IDIOTA.

¿POR QUÉ NO SE LO DICEN A NADIE?

PORQUE ES MEJOR PARA ELLOS QUE NO SE SEPA.

...

HATORI Y KANA ESTÁN JUNTOS, ¿VERDAD?

SHIGURE ES UNO DE ESOS HOMBRES DE LOS QUE NUNCA SE SABE NADA.

ERA COMO UNA OLA EN LA PLAYA.

NUNCA ME BESÓ NI ME ABRAZÓ.

CUANDO LES DIJE QUE IBA A SALIR CON SHIGURE

TUVE QUE CONTENER LA RISA AL VER SUS EX- PRESIONES.

SE LES NOTA TODO.

SE LIMITABA A ESTAR A MI LADO.

Y YA NADA PODRÍA CAMBIAR ESA REALIDAD.

SE HABÍA ROTO.

LA FELICIDAD DE LOS DOS.

¿LO VES?

TE DIJE QUE SERÍA MEJOR QUE NO LA VIERAS.

...

¿QUIERES HABLAR CON HATORI TAMBIÉN?

HABÍA ACABADO PARA SIEMPRE.

HE PASADO MUCHO TIEMPO EN CAMA
...

SIENTO HABERTE PREOCUPADO, MAYU.

SIN MÁS.

YA NO IMPORTABAN LAS RAZONES,

NI LOS MOTIVOS

¿ESTÁS SEGURA? AÚN TIENES LA MEJILLAS ALGO HUNDIDAS.

PERO YA ESTOY BIEN.

BUENO, EL DOCTOR HATORI ME HA DICHO QUE AÚN ESTOY CONVALECIENTE.

JA, JA...

¿CÓMO DEBIÓ DE SENTIRSE AL HACERLE ALGO ASÍ A KANA?

...

QUE SERÁ MEJOR QUE VAYA A PASAR UN TIEMPO A CASA DE MIS PADRES.

POR CIERTO, MAYU,

NADA...

LO HAS OLVIDADO DE VERDAD...

¿ES VERDAD QUE HAS CORTADO CON SHIGURE?

SÍ, ES VERDAD.

LO ÚNICO QUE SHIGURE ME EXPLICÓ

FUE QUE ÉL LE HABÍA BLOQUEADO LOS RECUERDOS.

¿EL QUÉ?

AH, BUENO...

NO PUEDE SER.

LO ES.

ENTIENDO.

AL FINAL, ÉL TAMBIÉN...

NO ME LO HA DICHO CLARAMENTE,

PERO SÉ QUE ES UNA SOMA... CREO QUE SE LLAMA SATSUKI.

SE PARECE UN POCO A KANA.

ENTIENDO
...

LOS DOS HAN ENCONTRADO OTROS CAMINOS PARA SER FELICES

¿NO TE SIENTES UN POCO TONTA

POR LO QUE HAS HECHO HASTA AHORA?

¿NO TE SIENTES MUY DESGRACIADA?

MIENTRAS TÚ TE HAS QUEDADO ATRÁS, SIN CONFESARLE A HAT NI UNA PALABRA DE LO QUE SIENTES POR ÉL.

¿QUÉ TE PARECERÍA VOLVER A SALIR CONMIGO?

NI HABLAR. YA TUVE SUFICIENTE. ME NIEGO.

NO, GRACIAS.

DIBUJO A MEDIAS PARA APROVECHAR EL ESPACIO.

DENTRO DE POCO O TAL VEZ DE MUCHO, PERO ALGÚN DÍA.

Capítulo 57

MUCHÍSIMAS GRACIAS

SÍ...

A HARADA, ARAKI,
MI MADRE Y MI SUPERVISOR.

A TODOS LOS LECTORES
QUE ME APOYÁIS. MUCHAS
GRACIAS POR LOS REGALITOS.

¡MUY BIEN, HIRO! VIENES
JUSTO DETRÁS DE KISA.
DE PARTE DE NATSUKI TAKAYA

Tonterías varias 4

Hay veces en las que me entran ganas de llorar de golpe,
como si le diera al interruptor de la luz. Y lloraría sin
importarme a quién tengo delante o detrás. Después de
eso siempre voy a comer algo para animarme. Me gusta.

NO
...

LA
LIBRERÍA
...

...ESTÁ
IGUAL QUE
ANTES.

...

TÚ
TAMPOCO
HAS CAM-
BIADO
...

HATORI
...

MÁS
DE DOS
AÑOS.

SIGUES IGUAL QUE ENTONCES.

VERTE CON ESE TRAJE ME DA CALOR.

PER-DONA.

...

"HATORI TIENE A OTRA MUJER."

"CREO QUE SE LLAMA SATSUKI."

"SE PARECE UN POCO A KANA."

¡¡ESTO SÍ QUE NO ME LO ESPERABA!! ¡¡PENSABA QUE ESTABA IMAGINANDO COSAS!!

¡NO TE LO TOMES A MAL! ES QUE ME HA SORPRENDIDO VERTE.

¡AH!

?

CALMA.

CALMA.

ES QUE HE ESTADO HABLANDO AQUÍ CON SHIGURE HASTA HACE APENAS UN MOMENTO

NO HE SIDO CAPAZ DE DECIRLE

QUE ME ALEGRABA DE QUE TUVIERA NOVIA.

SOY LO PEOR ...

...

AUNQUE NO ME LO ESPERABA ASÍ.

PENSABA QUE PARECERÍA MÁS FELIZ.

CHAC

EL HATORI DE HACE UN MOMENTO NO ...

Minami
Kinoshita

Esta chica apareció ya en el primer capítulo. Es de los más antiguos. Tiene la fuerza incontenible de la juventud, una juventud que arrasa con todo. No se da cuenta de lo que pasa en realidad a su alrededor (aunque debería). Lo mejor de ella es su energía inagotable. Adora a Yuki, pero nunca se le ha pasado por la cabeza la idea de acercarse a él en serio. Eso también es parte de la juventud. Lo mismo vale para Motoko.

SEÑOR HATORI...

¿DÓNDE ESTABA?

AKITO LE ESTÁ LLAMANDO DESDE HACE UN BUEN RATO.

NO CONVIENE QUE SE IMPACIENTE.

ENSEGUI-DA VOY.

SE LO RUEGO.

HOY NO SE ENCUENTRA MUY BIEN

SIGO SIN ENTENDER NADA, PERO NO PARECE FÁCIL.

LOS HOMBRES TAMBIÉN TENDRÉIS LOS VUESTROS, ¿NO?

UNA MUJER SE ENFRENTA EN SU VIDA CON OBSTÁCULOS QUE DEBE SUPERAR.

TU LIBRO...

EL DINERO.

¿QUÉ PASA?

¿POR QUÉ ME HAS HECHO VENIR HASTA AQUÍ?

ESTÁ EN DIRECCIÓN CONTRARIA A DONDE TENGO EL COCHE.

¿EH?

¿CÓMO ES QUE HOY NO LLEVAS EL TRAJE DE SIEMPRE?

AH ...

TENGO DERECHO A PERMANECER EN SILENCIO.

ARF ARF

ES QUE NO QUERÍA DARTE CALOR.

...

JE ...

FLAP

114

HABLAS SIN NINGUNA LÓGICA.

¿A QUÉ TE REFIEREN CON ESO DE "AURA DE FELICIDAD"?

HAS OLVIDADO A KANA, ¿NO?

TIENES A OTRA PERSONA EN TU VIDA.

¿POR QUÉ ENTONCES NO ERES TAN FELIZ?

NO ME REFIERO A TU SALUD.

ESTOY BIEN DE SALUD.

ALINQUE ME ALEGRO DE QUE ESTÉS BIEN.

¿CÓMO TE LO DIRÍA?

NO PARECES ESTAR FELIZ Y CONTENTO.

¿FELIZ Y CON- TENTO?

NO COMO ENTONCES.

NO SÉ MUY BIEN QUÉ INTENTAS DECIRME.

NO DESPRENDES AQUELLA AURA DE FELICIDAD.

116

¡¡DEVUÉL-VEMELAS!!

¡¡QUIERO RECUPERAR MIS LÁGRIMAS Y CON INTERESES!!

ME LO TRAGUÉ COMO UNA ESTÚPIDA.

¡AAAAGH! ¡MIERDA! ¡¡SOY LA MAYOR IDIOTA DE ESTE MUNDO!!

...

¿TIENES TIEMPO?

VUELVES A DECIR COSAS SIN SENTIDO.

¿SE SUPONE QUE LA CULPA ES MÍA?

¿NO QUIERES?

¿ME INVITAS A COMER JUSTO CUANDO ESTOY CON ESTA CARA?

ERES UN DEMONIO, HATORI.

CLARO QUE QUIERO.

ME LO IMAGINABA.

¿TE APETECE QUE VAYAMOS A COMER?

YO INVITO, PARA QUE ME PERDONES.

JA, JA, JA.

POR ESO HE QUERIDO ECHARTE UNA MANO EN TU VIDA AMO-ROSA.

LO DIGO EN SERIO.

TE HE AYUDADO, ¿NO?

Y PARA QUE NO ME LLAMES CALCULADOR, TE DIRÉ QUE NO HACE FALTA QUE HAGAS NADA PARA AGRA-DECERLO.

* YA ESTÁ EN LA CASA DE LA PLAYA.

JA, JA, JA.

IMAGINO QUE TAM-POCO PENSA-BAS HACERLO, PERO BUENO ...

YA TE LO DIJE.

A PARTIR DE AHORA TE TOCA A TI JUGAR TUS CARTAS, MAYU.

EN EL FONDO SIEMPRE ME HAS GUSTADO.

PERO SABIENDO LO OBSTINADA QUE HAS SIDO HASTA AHORA, CREO QUE PODRÁS CONSEGUIRLO.

AUNQUE CON ALGUIEN COMO HAT, ESTO PUEDE COSTARTE AÑOS.

VEREMOS QUÉ PASA EN CINCO O DIEZ AÑOS.

MÁS O MENOS.

...

¡NO VUELVAS A LLAMARME NUNCA MÁS!

UY...

CHAC

...

BLAM

¡MA-YUKO! ¡VEN UN MOMEN-TO!

¿QUÉ PASA?

TAP
TAP
TAP

ZAS

LA MA-DRE QUE LE...

¿¡Y QUÉ SI SOY OBSTI-NADA!?

HABLAR DE CINCO O DIEZ AÑOS ES EXAGERADO.

PERO UN DÍA, CUANDO TENGA EL PELO CORTO,

ÉL VOLVERÁ A LLAMARME "MAYU".

Y LOS DOS SALDREMOS A PASEAR CUANDO HAGA BUEN TIEMPO.

AUNQUE PARA ESO

TODAVÍA FALTE TIEMPO.

Capítulo 58

Tonterías varias 5

Cuando era pequeña, yo también creía que si comía semillas de sandía, me crecería una en el estómago. Además, pensaba que cuando me tragaba un chicle, me crecerían chicles. Cuando pienso en aquello, me pregunto de dónde sacaría yo aquellas ideas.

¿¡QUÉÉÉÉ!?

PENSABA QUE HABÍA PILLADO ALGÚN VIRUS, PERO HATORI LA HA EXAMINADO Y ESTÁ EMBARAZADA.

TAN DESPISTADA COMO SIEMPRE.

HUF

¿PASA ALGO, HIRO?

SÍ...

MI MADRE ESTÁ EMBARAZADA.

¡¡NO CORRÁIS TANTO!!

SEGURO QUE ES UN BEBÉ TAN MONO COMO TÚ, HIRO.

NO HABLÉIS COMO SI YO FUERA EL PADRE.

¡ENHORABUENA, HIRO! ¡ME ALEGRO MUCHO!

TIENES QUE PENSAR EN NOMBRES.

ENHORABUENA.

ZAS

ERA UNA BROMA...

EH...

¿QUÉ?

¿¡EH!?

KISA ES DEMASIADO JOVEN.

ZAS

ZAS

ZAS

ZAS

ZAS

ESTABA ENTUSIASMADA. HASTA QUERÍA QUE VOLVIESE INMEDIATAMENTE PARA CELEBRAR-LO CON ELLOS.

CLARO QUE SÍ.

ESPERO NO SER NUNCA COMO ÉL.

JI, JI...

NO ME EXTRAÑARÍA QUE SE CAYERA O RODASE POR LAS ESCALERAS.

PERO ME PREOCUPA LO TORPE QUE ES...

AH...

¿LA TÍA SATSUKI NO ESTABA CONTENTA?

PERO ES UNA BUENA NOTICIA, HIRO.

NI SE TE OCURRA, GRAN AUTOR, SE SUPONE QUE ERES UN ADULTO.

ADEMÁS, TAMPOCO ESTARÍA TAN MAL, ¿NO?

ES BROMAAA... SÓLO ME APETECÍA DECÍRSELO PARA PROBAR.

UUF.

¿QUERÉIS UN POLO?

NO PASA NADA. A AAYA TAMPOCO TE LO IMAGINAS COMO HERMANO MAYOR.

NO CREO QUE HAYA NADIE QUE LO SUPERE.

PUES SÍ, NO TE LO NIEGO... PERO GUÁRDATE TUS OPINIONES PARA TI.

¿¡EEEEH!?

¿¡LA MAMÁ DE HIRO VA A TENER UN BEBÉ!?

NO LE VEO COMO HERMANO MAYOR, LA VERDAD.

...NO PUEDO EVITAR RECORDARLO.

TODO EL DOLOR QUE HAN DEBIDO DE SOPORTAR LOS MIEMBROS DEL ZODÍACO...

...POR HABER VENIDO AL MUNDO SIENDO LO QUE SON.

EN MOMENTOS ASÍ...

AH...

¡AUNQUE LA MAMÁ DE HIRO SE ALEGRÓ MUCHO CUANDO ÉL NACIÓ!

AH, SÍ...

ES HASTA FAMOSA. CUANDO VIO QUE HIRO SE CONVERTÍA EN CARNERO, LO ÚNICO QUE DIJO FUE: "¡ME ENCANTAN LOS CORDERITOS!"

¿A QUE ES GENIAL? ♥

ES UN TEMA QUE NO SE PUEDE TRATAR A LA LIGERA.

TOORU, ESTÁS MUY CALLADA. ¿TE PESA LA SANDÍA?

¿QUÉ PASARÍA CON YUKI?

¿CÓMO SERÁN SUS PADRES?

ESTOY BIEN... PERO HEMOS COMPRADO MUCHAS, ¿NO?

¿Y LOS DE KYO?

ES QUE CON LAS SANDÍAS...

¿Y LOS DE TODOS?

...¡SÓLO SE PUEDE HACER UNA COSA EN VERANO!

140

CHAN
TATA
CHAN

¡¡QUE EMPIECE EL CAMPEONATO DE ROMPER SANDÍAS!!

¿QUÉ...?

¿ES QUE NADIE SE DA CUENTA DE QUE YO NO ME ALEGRO DE CELEBRARLO ASÍ?

MOMIJI, ESO SE TE ACABA DE OCURRIR AHORA, ¿VERDAD?

CURIOSA MANERA DE CELEBRARLO.

¡VAMOS A CELEBRAR QUE LA MAMÁ DE HIRO VA A TENER UN BEBÉ!

¿DÓNDE ESTÁN EL PALO Y LA VENDA PARA LOS OJOS?

PERO...

¿EH? ¿Y PARA QUÉ QUEREMOS ESO?

NO PASA NADA, KYO. LAS HEMOS PAGADO NOSOTROS.

¡ERES IMPOSIBLE! ¡ES UNA DETRÁS DE LA OTRA!

ESO ES TIRAR LA COMIDA A LA BASURA.

LAS SANDÍAS SON CARAS.

GENIAL. Y AHORA INTENTA NO MENCIONARLA.

...

SÍ
...

¿TE DIVERTISTE MATANDO MOSQUITOS?

¡SÍ! ¡FUE JUSTAMENTE ASÍ!

¡ME DIVERTÍ MUCHO!

¡¡PERO AHORA LO QUE IMPORTA...

ESTO... ¿TE DIVERTISTE...? ¿CÓMO?

¡KYAAAA!

AH...

CLONCH

...ES CELEBRAR EL NACIMIENTO DEL BEBÉ DE HIRO!!

¡¡OS DIGO QUE NO SERÁ HIJO MÍO, CARAMBA!!

¿¡EH!?

¿HABLAS EN SERIO?

¡¡SOY TOORU HONDA, LA ROMPE-SANDÍAS!!

DEBERÍAS APRENDER A VIVIR SIN FASTIDIAR A LOS DEMÁS.

YA ESTÁ BIEN.

TAMBIÉN ESTABAS DE-TRÁS DE LO DE MAYUKO... COMO NO DEJES DE HACER DE LAS TUYAS...

...TE PARTIRÉ POR LA MITAD.

CON UN CUCHILLO.

¿EH? NO SÉ DE QUÉ ME HABLAS, NO TENGO NI IDEA...

NO PENSABA QUE VEN-DRÍAS.

¡ANDAAA, HAT!

¿HA VENIDO?

AHÓRRATE EL NUMERITO. SÉ QUE FUISTE TÚ QUIEN LE SUGIRIÓ LA IDEA A AKITO.

NO ME HA TRAÍDO SÓLO A MÍ.

...

POR ESO ESTOY YO AQUÍ.

POR SUPUESTO. NO IBA A DEJARSE A SU QUERIDO HAT EN CASA.

Capítulo 59

QUERÍA CREER QUE NO ESTABA EQUIVOCADO.

QUE NO TODO ERA OSCURIDAD.

QUERÍA CONFIAR.

PENSAR QUE DESPUÉS DE LA LLUVIA...

...VOLVERÍA A SALIR EL SOL.

POR MUCHO DOLOR...

...QUE EXPERIMENTASE.

Y PARA SIEMPRE.

QUERÍA CREER QUE VOLVERÍA A SENTIR ESA TERNURA.

DESPUÉS DE AQUEL DÍA ...

SÍ, HA LLEGADO HACE APENAS UN RATO.

¿VA A QUEDARSE AQUÍ?

HUMM ...

AKITO ...

¿ESTÁ AQUÍ?

JA, JA ...

¿TENEMOS QUE CAMBIARNOS DE ROPA?

...

NO, ASÍ ESTÁIS BIEN.

SÍ, PERO EN LA CASA DE INVITADOS.

DE TODAS MANERAS, TENÉIS QUE ACERCAROS POR ALLÍ.

AKITO
...

NO NOS HEMOS VISTO DESDE ESE DÍA, EN ABRIL.

YUKI
...

POR CIERTO
...

YUKI
...

¿DÓNDE ESTÁ YUKI?

...

AH

¿TOORU TAMBIÉN TIENE QUE IR?

DE PASEO.

¿EN SERIO? BUENO, PUES ÉL YA IRÁ MÁS TARDE.

OYE
...

PERDONA, NO QUIERO QUE TE SIENTAS MAL ...

¿EH!?

NO... NO ME IMPORTA, DE VERDAD.

NO HACE FALTA.

DE MOMENTO BASTARÁ CON LA FAMILIA.

A TOORU LA DEJAMOS PARA LUEGO.

AH ...

QUÉDATE A HACERLE COMPAÑÍA A KYO.

NO CREO QUE TARDEMOS MUCHO.

TAMBIÉN EN UNA OCASIÓN COMO ÉSTA

EL GATO SE QUEDA AL MARGEN.

Makoto, de la familia Takei

Creo que es uno de esos chicos que es bueno en todo (si no, no sería el presidente del consejo de estudiantes). Probablemente sea hijo de una familia muy rica. Ésa es más o menos la idea con la que le creé. Le encantan las cosas bonitas y tiene su habitación llena de obras de arte.

Me pregunto qué desayunará para mantener esa tensión. A Takei le falta poco para terminar el instituto.

ESPERO QUE ACABE PRONTO PARA VOLVER CUANTO ANTES.

ESO SERÍA PEDIR DEMASIADO.

JA. JA. JA.

TIENES RAZÓN.

...

PREOCÚPATE POR TI MISMO.

NUNCA LE HAS GUSTADO.

NO PASA NADA, YA ESTOY ACOSTUMBRADO.

PERO ES QUE QUIERO VOLVER...

...CUANTO ANTES.

¿Y TOORU?

LE HE DICHO QUE SE QUEDARA EN CASA.

LOS DEMÁS ESTÁN EN LA ENTRADA.

¿AKITO ESTÁ DENTRO?

HASTA AHORA, NUNCA LE HABÍA DEJADO ACERCARSE AL RESTO DE "LOS DOCE".

DESDE LUEGO, ES UN MISTERIO. MIRA QUE TRAERSE A KURENO...

PUEDE QUE KURENO LE DÉ TRANQUILIDAD.

SÍ. ACABA DE VOLVER DE DAR UNA VUELTA CON KURENO.

LE HA AFECTADO UN POCO EL CALOR, ESTÁ DE MUY MAL HUMOR.

AH, BUENO.

¡HAT!

YA ESTAMOS AQUÍ.

BUENO

¿ESTÁS ENFADADO?

...

NO ME IRÉ

SHIGURE...

NO TE VAYAS SIN MI PERMISO.

ME DAS MIEDO CUANDO NO DICES NADA.

...

¡¡HATORI!! ¡¡SE SUPONE QUE AHORA ES EL MOMENTO EN EL QUE ME ECHAS EL SERMÓN!!

¡¡UN MOMENTO!! ¿A QUÉ VIENE ESO AHORA!?

NO HAY SERMÓN.

NO...

FRUS

FRUS

¡¡AAAH! ¡TRAIDOR!

← DÉBIL.   FUERTE. →

PENSABA QUE, A PESAR DE TODO, TAL VEZ...

¡¡SABES PERFECTAMENTE QUE CUANDO TE PONES ASÍ ES CUANDO MÁS ME MOLESTO!!

SEAS TÚ MEJOR QUE YO. PORQUE YO NO HAGO NADA. TÚ AL MENOS INTENTAS CAMBIAR LAS COSAS.

PREPARAMOS LO QUE QUEDA DE LA MASA Y NOS LO COMEMOS.

NO...

NO PODEMOS HACER ESO.

YA SÉ. ¿POR QUÉ NO LLAMAMOS POR TELÉFONO?

ESTÁN TARDANDO MUCHO...

A LO MEJOR ESTÁN CENANDO AHÍ MISMO.

¿Y QUÉ PIENSAS HACER FUERA?

¡OYE!

PUES...

VOY A FUERA UN MOMENTO, POR SI LES VEO VOLVER.

TAP TAP TAP TAP

AUNQUE SEPA QUE NO TIENE SENTIDO QUE YO ME ALTERE...

¿SABES CUÁL ES EL NÚMERO DEL ANEXO?

PORQUE YO NO.

AH...

...NO PUEDO EVITAR ESTAR NERVIOSA.

...

LE ESTOY HACIENDO UN FEO MUY GORDO A AKITO.

AUNQUE AL COMPORTARME ASÍ,

¡AAAAH!

NUNCA SÉ QUÉ DEBO HACER EN MOMENTOS COMO ÉSTE. NUNCA...

PERO ES QUE LA ÚLTIMA VEZ QUE SE ENCONTRARON

YUKI ESTABA ATERRORIZADO.

YUKI TAMPOCO VUELVE DE SU PASEO.

¿TOORU?

TAL VEZ HAYA IDO A VERLE DIRECTAMENTE.

HA RESULTADO SER ALGO TAN SIMPLE...

"TENGO QUE ABRIR UNA PUERTA QUE LLEVA DEMASIADO TIEMPO CERRADA".

CREO QUE HE LOGRADO DESCIFRAR

SÍ, MUY BONITAS.

EL LÍO QUE TENÍA EN LA CABEZA.

¿QUÉ ES LO QUE DEBO HACER

Y QUÉ CAMINO HE DE SEGUIR?

SOBRE LO QUE PASARÍA SI ABRÍA LA PUERTA.

...

PERO TAL VEZ SEA ESO LO QUE LO HAGA MÁS DIFÍCIL SI CABE.

SÍ... GRACIAS A AKITO.

...LA HAS ABIERTO?

...

¿Y ESA PUERTA...

ME ALEGRO MUCHÍSIMO

DE HABERTE PODIDO AYUDAR CUANDO TE PERDISTE.

ME HABÍAN ENSEÑADO QUE ERA UNA PERSONA INÚTIL,

PERO ESE DÍA,

EN ESE MOMENTO,

POR UNOS INSTANTES,

POR NO OLVIDAR ALGO

QUE PASÓ HACE TANTO TIEMPO.

MUCHAS GRACIAS...

...POR ESCUCHAR SIEMPRE MIS PROBLEMAS.

GRACIAS POR ACEPTAR...

...TODAS MIS DEBILIDADES.

GRACIAS

...TE QUIERO.

FRUITS BASKET. TOMO 10. FIN

FRUITS BASKET nº10.
Fruits Basket volume 10 by Natsuki Takaya
© Natsuki Takaya 2002
All rights reserved.
First published in Japan in 2002 by HAKUSENSHA, INC., Tokyo.
Spanish language translation rights in Spain arranged with
HAKUSENSHA, INC., Tokyo through TOHAN CORPORATION, Tokyo.
© 2007 NORMA Editorial por la edición en castellano.
Passeig de Sant Joan 7 08010 Barcelona.
Tel.: 93 303 68 20. - Fax: 93 303 68 31.
norma@normaeditorial.com
Traducción: Marta Gallego - Traducciones Imposibles.com.
Realización técnica: Quim Miró.
Depósito legal: B-19874-2007. ISBN: 978-84-9814-109-2.
Printed in the EU.

www.NormaEditorial.com